在学习《胡锦涛文选》报告会上的讲话

（2016年9月29日）

习 近 平

人 民 出 版 社

在学习《胡锦涛文选》报告会上的讲话

（2016年9月29日）

习　近　平

同志们：

党的十八大之后，党中央决定编辑出版《胡锦涛文选》。现在，这一重要文献已由中央文献编辑委员会编辑完成，并在全国出版发行。这是党和国家政治生活中的一件大事。党中央作出了《关于学习〈胡锦涛文选〉的决定》，各地区各部门要按照党中央要求，切实抓好落实。

胡锦涛同志1992年起担任中共中央政治局常委，在党的十六大至党的十八大10年间担任党中央总书记。《胡锦涛文选》生动记录了以胡锦涛同志为总书记的党中央团结带领全党全国各族人民在新的起点上坚持和发展中国特色社会主义的历史进程,科学总结了我们党依靠人民战胜一系列重大挑战、推动改革开放和社会主义现代化建设取得新的重大成就的宝贵经验,集中反映了我们党坚持以马克思列宁主义、毛泽东思想、邓小平理论、"三个代表"重要思想、科学发展观为指导,坚持把马克思主义基本原理同当代中国实际和时代特征相结合创造性提出的重大理论成果。

进入新世纪新阶段,国际局势风云变幻,综合国力竞争空前激烈。面对世情、国情、党情深刻变化,党的十六大作出本世纪头20年,对我国来说是一个必须紧紧抓住并且大有作为的重要战略机遇期的重大判断。党的十六大至党的十八大这10年间,以胡锦涛同志为总书记的党中央团结带领全党全国各族人民,高举中国特色社会主义伟大旗帜,坚持党的基本路线不动摇,深刻认识复杂多变的国际局势,准确把握我国发展的阶段性特征,紧紧抓住和用好我国发展的重要战略机遇期,不断深化改革开放、加快发展步伐，在前进道路上战胜一系列重大挑战，取得一系列新的历史性成就，为全面建成小康社会打下坚实基础，把中国特色社会主义推进到新的发展阶段。

这 10 年间，我们党领导人民战胜了突如其来的非典疫情，夺取了抗击汶川特大地震等严重自然灾害和灾后恢复重建的重大胜利，有效应对了波及广泛的国际金融危机冲击、在全球率先实现经济企稳回升，妥善处置了一系列重大突发事件、维护了国家安全和社会和谐稳定。

这 10 年间，我们成功举办北京奥运会、残奥会和上海世博会，向全世界展示了中华民族几千年的灿烂文明、新中国成立几十年的伟大成就、我国人民昂扬向上的精神风貌。

这 10 年间，我国经济总量跃升到世界第二位，社会生产力、经济实力、科技实力迈上一个大台阶，人民生活水平、居民收入水平、社会保障水平迈上一个大台阶，综合国力、国际竞争力、国际影响力迈上一个大台阶，国家面貌发生新的历史性变化。

这10年成就的取得，靠的是党的坚强领导，靠的是党的基本理论、基本路线、基本纲领、基本经验的正确指引，靠的是新中国成立以来特别是改革开放以来奠定的深厚基础，靠的是全党全国各族人民的团结奋斗。以胡锦涛同志为总书记的党中央审时度势，把握国内国际两个大局，统筹协调党和国家各个方面各条战线工作，坚定落实党的理论和路线方针政策，发挥了卓越领导作用。

胡锦涛同志以马克思主义政治家的远见卓识，紧紧依靠中央领导集体和全党同志，把握大局，审时度势，呕心沥血，殚精竭虑，为坚持和发展中国特色社会主义作出了杰出贡献。胡锦涛同志坚持解放思想、实事求是、与时俱进、求真务实，勇于推进实践基础上的理论创新，集中全党智慧，坚持和丰富邓小平理论、“三个代表”重要思想，形成和贯彻了科学发展观，进一步回答了什么是社会主义、怎样建设社会主义和建设什么样的党、怎样建设党的问题，创造性地回答了新形势下实现什么样的发展、怎样发展等重大问题，形成了涵盖改革发展稳定、内政外交国防、治党治国治军各方面的系统科学理论，实现了我们党在指导思想上的又一次与时俱进，开辟了当代中国马克思主义发展新境界。

党和人民事业发展，是承前启后、继往开来的历史过程。如同《毛泽东选集》、《邓小平文选》、《江泽民文选》一样，《胡锦涛文选》为我们总结党领导人民进行的伟大实践以及在实践中创造的成功经验，提供了一部系统性重要教材，对全党全国各族人民坚定信心沿着中国特色社会主义道路奋勇前进具有十分重要的意义。

同志们！

我们党是高度重视理论指导并在实践中不断推进理论创新的马克思主义政党。成立 95 年来，我们党坚持把马克思主义基本原理同中国具体实际相结合，先后形成了毛泽东思想和包括邓小平理论、“三个代表”重要思想、科学发展观等在内的中国特色社会主义理论体系。

科学发展观是马克思主义同当代中国实际和时代特征相结合的产物，是马克思主义关于发展的世界观和方法论的集中体现，把我们党对中国特色社会主义规律的认识提高到新的水平。科学发展观,发展是第一要义,以人为本是核心立场,全面协调可持续是基本要求,统筹兼顾是根本方法。按照科学发展观要求,我们党在推进中国特色社会主义建设中取得一系列理论成果,特别是在推进改革开放、完善社会主义市场经济体制、推动社会主义文化大发展大繁荣、构建社会主义和谐社会、加快生态文明建设、推动建设和谐世界、实施人才强国战略、加强党的执政能力建设和先进性建设等方面提出一系列重大战略思想。同毛泽东思想、邓小平理论、"三个代表"重要思想一样,科学发展观是我们党的指导思想的重要组成部分,必须长期坚持、认真贯彻。

中国特色社会主义是在不断总结经验、探索规律中开辟和前进的。以毛泽东同志为核心的党的第一代中央领导集体的探索和实践,为当代中国一切发展进步奠定了根本政治前提和制度基础,为开创中国特色社会主义提供了宝贵经验、理论准备、物质基础。以邓小平同志为核心的党的第二代中央领导集体的探索和实践,实现了党和国家工作中心的转移，开启了改革开放的新征程，确立了社会主义初级阶段基本路线，成功开创了中国特色社会主义。以江泽民同志为核心的党的第三代中央领导集体的探索和实践，坚定捍卫中国特色社会主义，确立了社会主义市场经济体制的改革目标和基本框架，全面推进党的建设新的伟大工程，成功把中国特色社会主义推向21世纪。

以胡锦涛同志为总书记的党中央，紧紧围绕坚持和发展中国特色社会主义这一主题，科学判断国内外形势，不断研究新情况、解决新问题，在推进社会主义经济建设、政治建设、文化建设、社会建设、生态文明建设，加强国防和军队建设，推进“一国两制”实践和祖国和平统一大业，促进世界和平发展，推进党的建设等各方面都进行了新的探索、积累了丰富经验。在此前我们党总结明确的基本理论、基本路线、基本纲领的基础上，党的十七大集中概括了推进改革开放“十个结合”的基本经验，党的十八大鲜明提出了8个方面的基本要求，并突出强调中国特色社会主义道路、中国特色社会主义理论体系、中国特色社会主义制度是党和人民奋斗、创造、积累的根本成就，必须倍加珍惜、始终坚持、不断发展。实践证明，我们党对共产党执政规律、社会主义建设规律、人类社会发展规律的认识不断深化，不断为坚持和发展中国特色社会主义提供了科学理论指导。

坚定中国特色社会主义道路自信、理论自信、制度自信、文化自信，不断夺取中国特色社会主义新胜利，是当代中国共产党人最核心的使命。《胡锦涛文选》对新世纪新阶段党和国家事业发展经验的总结，对全党更好进行具有许多新的历史特点的伟大斗争，不断开创中国特色社会主义伟大事业新局面，具有十分重要的意义。

同志们！

学习《胡锦涛文选》，是当前和今后一个时期党的思想政治建设和党员、干部理论学习培训的重要任务。各级党委（党组）要切实加强对学习的组织领导，坚持学习、宣传、研究相结合，精心安排，周密部署，强化落实，确保学习取得实实在在的成效，通过学习进一步做好党和国家各项工作。

——发展对坚持和发展中国特色社会主义具有决定性意义。邓小平同志强调:“我们革命的目的就是解放生产力,发展生产力。离开了生产力的发展、国家的富强、人民生活的改善,革命就是空的。”江泽民同志指出:“我们党在中国这样一个经济文化落后的发展中大国领导人民进行现代化建设,能不能解决好发展问题,直接关系人心向背、事业兴衰。”胡锦涛同志说:“科学发展观,是指导发展的科学思想。只有求真务实,认识规律,把握规律,才能得其要旨。各级领导干部要不断深化对科学发展观的理论基础、深刻内涵、基本要求、指导意义的认识,坚决破除一切阻碍科学发展观落实的观念,坚决纠正一切偏离科学发展观的行为,真正把思想方法转到科学发展观的要求上来。”我们要深刻领会科学发展观的科学内涵、精神实质、根本要求,结合新的形势,破解发展难题,厚植发展优势,不断开创我国发展新境界。

党的十八届五中全会从新的国际国内形势出发,提出创新、协调、绿色、开放、共享的发展理念,这与科学发展观是一脉相承的,体现了我们党对发展规律的新认识。我们要深刻认识我国仍处于并将长期处于社会主义初级阶段这个最基本的国情，始终牢记发展是硬道理、发展必须是科学发展，牢牢把握中国特色社会主义事业总体布局，正确处理发展中的重大关系，坚持以经济建设为中心，加快转变经济发展方式，加快推进供给侧结构性改革，坚定走生产发展、生活富裕、生态良好的文明发展道路，努力实现更高质量、更有效率、更加公平、更可持续的发展。

学习《胡锦涛文选》，要同贯彻落实好新发展理念紧密结合起来，把对发展的科学认识转化为推动发展的正确思路，转化为推进各项工作的实际能力，转化为各级党组织和党员、干部真抓实干的自觉行动。

——全面建成小康社会、加快推进社会主义现代化，是几代中国共产党人接续奋斗的重要目标。早在1956年，毛泽东同志就指出："一九一一年的革命，即辛亥革命，到今年，不过四十五年，中国的面目完全变了。再过四十五年，就是二千零一年，也就是进到二十一世纪的时候，中国的面目更要大变。中国将变为一个强大的社会主义工业国。”改革开放以后，邓小平同志明确提出我国现代化建设“三步走”发展战略，其中第二步就是在上世纪末使我国进入小康社会，这一步已经如期实现。党的十五大展望我国新世纪的发展，提出到2010年、建党一百年和新中国成立一百年的发展目标，其中要求在新世纪头10年使人民的小康生活更加宽裕。党的十六大进一步提出，要在本世纪头20年全面建设惠及十几亿人口的更高水平的小康社会。党的十八大明确提出到2020年实现全面建成小康社会奋斗目标，并在十六大、十七大确立的全面建设小康社会目标的基础上提出了一系列新的要求。

全面建成小康社会，是我们党向人民、向历史作出的庄严承诺，是13亿多中国人民的共同期盼。现在，我国已进入全面建成小康社会决胜阶段。我们要统筹推进“五位一体”总体布局和协调推进“四个全面”战略布局，保持经济社会发展良好势头，坚持党的领导、人民当家作主、依法治国有机统一，推进社会主义文化强国建设，以保障和改善民生为重点加快发展各项社会事业，加快形成节约资源和保护环境的空间格局、产业结构、生产方式、生活方式。

不断提高人民生活质量和水平，是我们一切工作的出发点和落脚点，也是全面建成小康社会的根本目的。胡锦涛同志指出："要坚持发展为了人民、发展依靠人民、发展成果由人民共享，完善保障和改善民生的制度安排"。我们要坚持以人民为中心的发展思想，抓住人民最关心最直接最现实的利益问题，不断实现好、维护好、发展好最广大人民根本利益，努力使全体人民学有所教、劳有所得、病有所医、老有所养、住有所居。全面建成小康社会，不仅要如期实现，而且在地域上、人群上一个都不能少。最艰巨的任务是脱贫攻坚，最繁重的工作是保障各方面困难群众基本生活。我们要坚定信心、扎实工作，坚决打赢脱贫攻坚战，切实关心和扶持各类困难群众，努力建成人民群众满意、高质量的小康社会。

学习《胡锦涛文选》，要提高对全面建成小康社会的规律性认识，不断研究新情况、解决新问题，最大限度调动各方面积极性、主动性、创造性，确保全面建成小康社会取得决定性胜利，为新中国成立一百年时建成富强民主文明和谐的社会主义现代化国家打下坚实基础。

——改革开放是当代中国最鲜明的特色，是我们党在新的历史时期最鲜明的旗帜。胡锦涛同志说："面向未来，全党同志必须牢记，我国过去三十多年的快速发展靠的是改革开放，我国未来发展也必须坚定不移依靠改革开放。新时期最鲜明的特点是改革开放。改革开放是党在新的历史条件下领导人民进行的新的伟大革命，是决定当代中国命运的关键抉择，是坚持和发展中国特色社会主义、实现中华民族伟大复兴的必由之路。只有改革开放才能发展中国、发展社会主义、发展马克思主义。"改革开放近40年的实践，是中国共产党人接力探索的伟大实践。马克思主义基本原理认为，无论什么样的生产关系和上层建筑，都要随着生产力的发展而发展。如果它们不能适应生产力发展的要求，而成为生产力发展和社会进步的障碍，那就必然要发生调整和变革。着眼新形势新任务,党的十八大和十八届三中、四中、五中全会对全面深化改革作出了战略决策和系统部署,我国兴起了新一轮改革高潮。新一轮改革的突出特点是改革进入啃硬骨头、打攻坚战的关键时期,既要全面、系统、整体推进,又要在重要领域和关键环节加快实现突破。我们要紧扣完善和发展中国特色社会主义制度、推进国家治理体系和治理能力现代化这一总目标,坚持社会主义市场经济改革方向,以更大的政治勇气和智慧推进各方面各领域改革。要坚持以解放思想、解放和发展社会生产力、解放和增强社会活力为基本取向,敢于向积存多年的顽瘴痼疾开刀,敢于触及深层次利益关系和矛盾,坚决冲破不符合时代进步要求的思想观念束缚,坚决破除利益固化藩篱,坚决清除各方面体制机制障碍。

我们推进改革开放的目的是坚持和发展中国特色社会主义,而不是要搞其他什么主义。胡锦涛同志指出:“一个中心、两个基本点,是相互贯通、相互依存、不可分割的统一整体,须臾不可偏离、丝毫不可偏废,必须全面坚持、一以贯之。离开经济建设这个中心，社会主义社会一切发展和进步就会失去物质基础；离开四项基本原则和改革开放，经济建设就会迷失方向和丧失动力。”中国特色社会主义是植根于中国大地、反映中国人民意愿、适应中国和时代发展进步要求的科学社会主义，这条路能走得通、走得远。我们推进全面深化改革，就是要把这条路走得更踏实、走得更好。

学习《胡锦涛文选》，要深刻认识改革开放是决定当代中国命运的关键抉择，继续高举改革开放伟大旗帜，坚持改革正确方向，勇于全面深化改革，不断把改革开放推向前进。

——办好中国的事情，关键在中国共产党。胡锦涛同志说：“抓好党的建设是全党同志的共同任务，更是各级党委的硬任务。”以胡锦涛同志为总书记的党中央以改革创新精神持续加强和改进党的建设，提出了一系列重要的论述和要求。比如，关于建设学习型、服务型、创新型马克思主义执政党，提高党的建设科学化水平的论述和要求；关于学习贯彻党章、加强理想信念教育、提高全党思想政治水平的论述和要求；关于坚持科学执政、民主执政、依法执政，抓好各级领导班子建设、深化干部人事制度改革、建设高素质干部队伍、实施人才强国战略的论述和要求；关于抓基层打基础、强化基层党组织职能、夯实党执政的组织基础的论述和要求；关于坚持为民、务实、清廉，树立正确政绩观，全面加强新形势下领导干部作风建设的论述和要求；关于抓好反腐倡廉制度建设、推进惩治和预防腐败体系建设、深入推进党风廉政建设和反腐败斗争的论述和要求，等等。

党的十八大以来，我们党坚持以上率下，坚定推进全面从严治党，坚持思想建党和制度治党紧密结合，从制定和落实八项规定入手，相继开展党的群众路线教育实践活动、“三严三实”专题教育、“两学一做”学习教育，集中整饬党风，严厉惩治腐败，着力净化党内政治生态，管党治党取得新的明显成效、创造积累了新的经验。党的建设必须常抓不懈，全面从严治党必须真管真严、敢管敢严、长管长严。我们要牢牢把握加强党的执政能力建设和先进性建设这条主线，继续从严从实加强党的思想建设、组织建设、作风建设、反腐倡廉建设、制度建设，坚持问题导向，以自我革命的政治勇气，着力解决党内存在的各种问题。要加强和规范党内政治生活，增强党内政治生活的政治性、时代性、原则性、战斗性，全面净化党内政治生态。要充分发挥广大党员、干部在党的建设中的主体作用，一手抓规范约束，一手抓引导激励，更加有效地调动全党上下的积极性、主动性、创造性，使各级党组织和全党同志切实做到对党忠诚、为党分忧、为党担责、为党尽责。

学习《胡锦涛文选》，要着眼于完成党的历史使命，从我们党面临的内外部环境不断发生深刻变化的实际出发，围绕不断增强党自我净化、自我完善、自我革新、自我提高能力，坚持党建工作和中心工作一起谋划、一起部署、一起考核，把全面从严治党的要求进一步落到实处，确保党始终成为中国特色社会主义事业的坚强领导核心。

同志们！

《胡锦涛文选》是我们党理论创新的重要成果，也反映了我们党进行理论创新的生动实践。

马克思主义发展历程、马克思主义中国化发展历程都告诉我们:社会实践是不断发展的,我们的思想认识也必须不断前进,不断根据实践要求进行创新。世界在变化,时代在前进,实践发展永无止境,我们认识真理、不断进行理论和实践创新、不断开创事业新局面的征程也永无止境。

1937 年 7 月,毛泽东同志在《实践论》中指出:“通过实践而发现真理,又通过实践而证实真理和发展真理。从感性认识而能动地发展到理性认识,又从理性认识而能动地指导革命实践,改造主观世界和客观世界。实践、认识、再实践、再认识,这种形式,循环往复以至无穷,而实践和认识之每一循环的内容,都比较地进到了高一级的程度。这就是辩证唯物论的全部认识论,这就是辩证唯物论的知行统一观。”坚持马克思主义,最重要的就是坚持马克思主义的科学原理和科学精神、创新精神,善于根据客观情况的变化,不断从人民群众实践中吸取营养,不断丰富和发展理论,使理论更好指导我们的工作。

在前进道路上,我们要根据新的实践不断进

行新的探索，使我们党的理论不断向前发展，不断为实践提供新的理论指导，保证我们党始终走在时代前列。

同志们！

2002 年 12 月 6 日，党的十六大闭幕后不久，胡锦涛同志带领中央书记处的同志去西柏坡，重温毛泽东同志在党的七届二中全会上关于“两个务必”的重要讲话。当时，胡锦涛同志说：“今天，在新世纪新阶段，我们党要带领人民实现全面建设小康社会奋斗目标，不断开创中国特色社会主义事业新局面，是这场考试的继续。”

今年 7 月 1 日，在庆祝中国共产党成立 95 周年大会上，我再次强调这场考试还没有结束，全党同志一定要不忘初心、继续前进，永远保持谦虚、谨慎、不骄、不躁的作风，永远保持艰苦奋斗的作风，勇于变革、勇于创新，永不僵化、永不停滞，继续在这场历史性考试中经受考验，努力向历史、向人民交出新的更加优异的答卷。

同志们！《胡锦涛文选》内容丰富、思想深刻，当前要把学习《胡锦涛文选》摆在党的思想政治建设和党员、干部理论学习培训的重要位置。各级党组织要组织广大党员、干部认认真真学、原原本本学、融会贯通学，发扬理论联系实际的马克思主义学风，通过学习加深对党的十八大以来提出的治国理政新理念新思想新战略的理解，把思想和行动进一步统一到党中央大政方针和决策部署上来，把智慧和力量进一步凝聚到做好党和国家各项工作上来，继续开拓创新，继续奋发进取，为实现“两个一百年”奋斗目标、实现中华民族伟大复兴的中国梦而不懈奋斗！

图书在版编目(CIP)数据

在学习《胡锦涛文选》报告会上的讲话/习近平 著. —北京:
人民出版社,2016.9
ISBN 978-7-01-016846-3

Ⅰ.①在… Ⅱ.①习… Ⅲ.①习近平-讲话②《胡锦涛文选》-学习参考资料 Ⅳ.①D2-0

中国版本图书馆 CIP 数据核字(2016)第 239169 号

(RMC-ZJDXI-041-20160929)

在学习《胡锦涛文选》报告会上的讲话
ZAI XUEXI HUJINTAO WENXUAN BAOGAOHUI SHANG DE JIANGHUA
(2016 年 9 月 29 日)
习 近 平

人民出版社 出版发行
(100706 北京市东城区隆福寺街 99 号)

北京新华印刷有限公司印刷 新华书店经销

2016 年 9 月第 1 版 2016 年 9 月北京第 1 次印刷
开本:880 毫米×1230 毫米 1/32 印张:0.75
字数:10 千字 印数:000,001-100,000 册

ISBN 978-7-01-016846-3 定价:2.50 元

邮购地址 100706 北京市东城区隆福寺街 99 号
人民东方图书销售中心 电话 (010)65250042 65289539